은퇴한 시골노인 사진시집

생거진천에서

자연을 벗삼아

오석원 찍고 지음

저자 최근 사진

은퇴한 시골노인 사진시집

생거진천에서

자연을 벗삼아

오석원 찍고 지음

진달래 출판사

생거진천에서 자연을 벗삼아
인　쇄 : 2021년 11월 5일 초판 1쇄
발　행 : 2021년 11월 12일 초판 1쇄
지은이 : 오석원
표지디자인 : 노혜지
펴낸이 : 오태영
출판사 : 진달래
신고 번호 : 제25100-2020-000085호
신고 일자 : 2020.10.29
주　소 : 서울시 구로구 부일로 985, 101호
전　화 : 02-2688-1561
팩　스 : 0504-200-1561
이메일 : 5morning@naver.com
인쇄소 : TECH D & P(마포구)

값 : 21,000원
ISBN : 979-11-91643-28-2(03810)

목 차

들어가는 말

건강은 지킬 수 있을 때
스스로가 최선을 다해야만
현재를 유지할 수가 있다.

왕성한 혈기 속에서는
어떤 노력도 그렇게 까진 필요하진 않지만…….
나이 들어
은퇴 후라는 용어가 주변에 나돌 때는
최선을 다하는 자기 몸가짐이
꼭 필요한 것 같다.

눈만 뜨면 보이는 것,
시골에서의 생활이다 보니
하늘 구름 흐르는 강
야생화를 비롯한 온갖 꽃,
심어놓은 농작물 등 자연의 모습이
내 마음 모두를 훔쳐가는
아름다움의 연속이다.

주변의 산야를 돌아보며
나를 지키면서 나에게 와 닿는
자연과의 대화를 스스럼없이 나눈다.

개구리 울음소리며
작고아름다운 새 울음 소리를
속삭임처럼 알아듣다보니
어느새 나는 자연속의 구성원으로 돌아간다.

코로나가 유행하건 감기가 나돌건
바쁘게 움직이며 자연 속에서 살다보면 …….
면역력이 쌓여선지 병마는
나에게선 한없이 멀어져간다.

눈에 보이는 모습을 사진으로 담아두고
사진 속의 나날을 기록으로 쌓아두니
어느샌가 글이 모여진다.
사진이 모여진다.
기억을 되살리고
머리를 움직이다 보니
노인성 치매 질환도 스스로 지켜간다.
신변잡기(身邊雜記)로 일기처럼 일상을 담다 보니,
위담(謂譚) 오석원은
^^**농다리 시인**^^으로 불리며 산다.
오늘만 생각하며 내일은 내일 그려내며,
철저하게 나만 보고 살아간다.
기쁜 마음으로 행복을 찾는다.

위담 오석원

Part 1

자연과 어울리며

신축년 새해

2021년 신축년 새해 첫날
산 너머 동쪽 하늘에 해가 떠오른다.
다복한 가정으로 건강한 한해를 기원하며
한 해를 시작하자.
초겨울 된서리처럼 살포시 내린 눈,
정원수 위로 눈꽃을 피우고
아무도 밟지 않은 논두렁 밭두렁에
하얀 아름다움이 들어온다.

온 세상이 하얗다.
눈에 보이는 모든 것이 눈에 덮여있다.
살짝이 덮은 하얀 눈이 빤짝이기도 한다.
다이아몬드 광채처럼 햇빛에 부딪히는 모습이
아름다움을 보여준다.
미세먼지를 머금은 채 공기를 쓸어낸 듯
파란 하늘이 시야를 넓히는
너무 좋은 날씨다.

꽁꽁 얼어붙은 강변을 보며
콧속으로 스며드는 맑은 공기를 받아낸다.
은여울산으로 올라서니 등 쪽으로 따뜻한 빛이
내 몸에 온기를 전해오지만,
손가락 마디마디엔 베일 듯이 찬 기운이다.
고개 숙여 날 반기는 나뭇가지와 속삭인다.
다음 주에 눈꽃이 핀다며, 쉬지 말고 만나자 한다.

해외로 수출되는 상품이 비행기에 실려 가는지….
비행기 소음이 은여울산 등성이를 때린다.
구름 낀 날씨 속에 추위는
소한(小寒) 추윈지
아주 차갑고 겨울답다.

계속된 산행길이니 당연한 일과겠지만,
꼭 이 길이 아닌 다른 길은 없으려나…. 싶다.

춥다 춥다 살폈더니 오늘이 소한(小寒)이다.
24절기가 아무렇게나 제정된 게 아님을
오늘 날씨가 말한다. 상당히 춥고 쌀쌀하다.
미호천 강변 얼음판,
꽁꽁 얼었는지 하얀 눈이 얼음판 위에서
새하얗게 빛을 낸다.
물 건너 쪽, 절벽 품은 산 위의 하얀 눈과
아름다움을 시샘한다.

눈 내린 지 제법 되었다.
산 밑으로 농로 포장된 곳 하얀 눈이 발에 밟힌다.
녹지 않은 눈이 수북하다.
발바닥과 악수하는 듯
뽀드득뽀드득 설(雪)이 웃는다.
갈아 엎어둔 논 자락에도 하얀 눈이 모양 좋게 쌓여있고
논둑길 따라 걷다 보니
내 키보다 더 솟은 갈대도 찬바람에 펄럭인다.

흠뻑 눈이 쌓여 보이는 모든 것이 하얗다.
나무 위에 길바닥에 언덕에
논두렁 밭두렁에 온통
눈이 쌓여 내 눈 속까지 모두 희다.
나갈까 말까 고민해보다,
율무 앞세우고 들판을 향해 걷는다.
정신없이 눈 위로 달리는 율무 녀석이 스트레스
확 풀어내는 그런 모습이다.

추워도 너무 춥다.
북극이 이렇게 추울 거다.
포장된 농로며 갈대 흔들리는 강변길을 걷는다.

뿌드득뿌드득 부딪혀오는
눈 밟힌 소리가,
코로나로 멈춘 친구 간 악수 소리로
내 귀를 간질인다.

들판에서 부는 바람
강가에서 부는 바람
눈과 함께 부는 바람은 걷는 나를 미워한다.
뭣 때문에 걷느냐고 야단치는 모습 같기도 하다.
눈 위의 깨끗함은 가슴속을 씻어내고
누구도 걷지 않은 곳
흔적 남기며 걷는 기분은 조용히 걷는
나만의 자유일 듯하다.

고드름 주렁주렁.
하늘은 엄청 높고 구름 없이 맑고 깨끗하다.
푸른 하늘에 밝은 해가 떠 있으나.
온기는 아예 없고 차갑기만 할 뿐이다.
영하 20도가 이런 추위를 말하는가!
엄청 차다.
콧속이 따끈따끈하고
귓전이 얼얼하며 장갑 낀 손가락이 부자연스럽다.

뽀드득뽀드득
오솔길 눈 밟히는 소리가 내 귓전을 울린다.
최고의 한파로 체감온도 -25가 찍힌다.
눈 녹아내리는 처마 밑엔 늘어선 고드름이
크기를 키 재기 하며 줄지어 늘어진다.
흐르는 물은 모두가 고드름 되는지 물방울이
멈춘다.
추위가 이어지니 고드름 두께만 굵어진다.

길게 늘어선 고드름 오늘의 날씨를 알린다.
포근하게 비쳐오는 찬란한 햇빛 속에,
지붕에 쌓인 눈이 녹아내린 듯
고드름 길이가 어제의 2배다.
지붕아래 걷는 길에 쏟아질까 두렵다.
물받이로 장식된 요즘의
시골집엔 어디에서도 보기 드문
귀하디귀한 고드름이다.

미호천 강변은 대형 스케이트장으로
한 가족 4명이 얼음 위를 걷고 있다.
외지사람이 바람 쐬러 온 것 같다.
아…. 오늘이 일요일이었지?
세월이 가는지…….
내가 늙어 가는지…….
멍한 모습의 나인 거 같다.

초평호 크나큰 호수가
얼음덩이로 변해있고
호수에 떠 있는 낚시꾼들의
유람선 겸 좌대가, 얼음 위에 떠 있다.

빙판에 갇혀있다.
얼음 속에 끼어있어서
얼음 위를 걸어서 배로 올라설 수가 있다.

인적이 거의 없는 초평호 주변
데크길따라 하늘 다리로
진입하려 했으나,
거리 두기 차원에서 진입을 막아 버렸다.
청소년 수련원 앞산을
돌아서 되돌아서니
하늘 다리 모습만 찍었고
꼭 찍으려던 농다리는 촬영하지 못했다.

뿌연 오로라
해 뜨는 동녘 하늘이 북유럽 오로라는 비교할 수 없다.
솟아오르는 햇살 위에
뿌옇게 둘러친 황사 모습이
바깥출입을 자제하게 한다.
살짝 내린 눈이
나무 위에 꽃피운 모습
그나마 위로되는 날이다.

어제까지 하얗던 눈 모습이
말끔히 사라졌다.
영상의 따가운 햇볕에
오르막 어디에도 하얀 눈은 안 보인다.
강렬한 태양열이 오르막길을 완전히 녹여냈다.
미호천변 빙판 위로 백로 한 마리,
눈에 띄는 걸 보니 먹잇감이 보이나 보다.
자연은 스스로 알아서 진행된다.

산 까치가 운다.
초평호 뒤쪽
임도 따라 걷는다.
완만한 경사도에 자갈길,
발바닥에 돌 밟는 소리가
굴러가는 내 모습이다.
까악 까악 까악 깍, 산 까치가 울어대며
오랜만이라 반기는 것 같다.

미르 전망대에서 농(籠)다리로
움직였으나,
거리 두기로 차단되어
다리 모습만 살펴보고
촬영 후 농암(籠岩)정으로 오른다.
맑고 깨끗한 호수변 바람결이
내 마음을 잡아준다.

눈 녹은 언덕길에
봄이 오는 듯 가벼운 숨소리에
푸름이 금방이라도 다가올 듯하다.

꽁꽁 얼어 빙판된 초평호가
멀리멀리 산 사이로
구불구불 물길을 엮고 있다.
번질번질한 빙판이 녹을 기미가 보이질 않는다.

연중 가장 추운 날씨
소한에서 대한으로 가는 길목
추위가 매섭다더니,
오늘 바람결도 피부에 부딪힘이
예삿날과는 사뭇 다르다.
눈 내리고 차가운 날이 시작되는지,
햇빛 사이로 흐르는 바람
오늘부터 느낌이 차다.

엄청 푸른 하늘이다.
약속일정이 따로 있다 보니
은여울산을 못가고
무량사 뒤쪽 경치 좋은 곳 율무와 헤맨다.
맑은 하늘에 비행기 한 대
위담산방 등성이로
청주공항을 향해서 나른다.
찬바람 부는 할미꽃밭에 할아버지인 내가 쉬고 있다.

밭 자락 논배미 논둑길
산자락이 온통 하얗다.
소나무 전나무 향나무며
철쭉이며 앙상한 자두나무까지
온통 복스러운 흰 꽃이다.
울긋불긋 꽃필 때와는
통일된 하얀색이
내 마음을 정리해준다.

눈 내린 순간에 걷고 싶다.
평평 쏟아지는 눈과 눈 사이로
내 발걸음 움직이며
미호천 강변을 걸어온다.
북풍한설(北風寒雪)
바람 불어 추운 날에
눈까지 날리는 모습이다.
눈 몰아오는 오늘 내 몸은 걷는다.

인연이 있었던 취라마을
태양광 시설물이 자리 잡은 곳
오늘 운동코스로 자리 잡고 집에서부터 걷는다.
멋지게 자리 잡은 태양광
시설물주변은 다리공사
포장공사까지 완벽하게 마무리하고 넓은 면적에서
엄청난 전력을 생산할성싶다.
아주 부럽다.

중앙공원과 호수공원은 무료입장으로 자유스러우나,
수목원은 예약 후 입장료까지
수납 후에 구경할 수 있단다.
맑은 공기, 높이 솟은 정원수며
사이사이에 쉼터 벤치며
수도시설, 그늘막 등 많이 갖춰졌으나,
심어둔 정원수가 숲을 이루면
환상적인 쉼터가 될 듯하다.

물안개 자욱한 강변
은여울 오솔길 길목에 가득한
낮은 구름층이 시야를
흐리게 하는 오늘이다.

어젯밤에 쉬지 않고 비가 내리더니
눈에 띄던 하얀색 눈은
자취 없이 사라졌다.

나무와 나무 사이로
구름 낀 것처럼 뿌연 모습이,
구름과 함께 하늘이 지상으로
내려선 모습이다.
우수(雨水)는 한 달 후인데
포근하고 습기 찬 기온이
봄맞이하는 한 달 후
우수주변으로, 계절이 빨라진 것만 같다.

내리막길 경사진 곳에
황소가 밟고 간 듯한
발자국이 이어진다.
멧돼지가 움직인 것 같다.
섬뜩함이 머리를 스친다.
먹이 찾아 움직이는
산짐승 모습이 눈에 선하다.
많이 조심스럽다.

급경사진 내리막을 낙엽밀고 내려서니
늘 갔던 낚시터가 나타난다.
오리가 먹이를 찾아 단체로
물 위를 떠다닌다.
얼음 녹은 맑은 물속에
먹을거리가 보인 모양이다.
살길 찾아 어디선가 몰려온 듯 정신없이 훑어댄다.
실컷 먹어두려나 보다.

카누 경기장 이정표에서
되돌아서 움직이며
간간이 눈에 띄는 마스크 쓰고
걷는 분들과 보조 맞추느라
내 입에도 마스크가 덮인다.
맑은 호수를 멀리 바라보며
약속 시각에 맞춰가며
바쁘게 움직인다.

혁신도시에 볼일이 있어
오전 중에 초평호를 걷는 중이다.

맑은 호수에 잔잔함도
빙판으로 멈춰 서있다.
호수에 떠 있는 낚싯배도
고정되어 얼음판에 굳어있으니,
낚시꾼은 아예 없는 거 같다.

캠프장 입구로 돌아내리니
이마트 매장도 설치되었고,
캠핑장 오픈일이 임박한 듯
여기저기 모습이
쉼터로 좋은 장소다.
집에 도착하니 온 세상이
하얗게 눈이 쏟아진다.
기상예보가 정확하구나.

렉스빌 아파트 뒤쪽 구릉에
대규모 토목공사가 요란하다.
캠핑장을 조성하는 더샘터가,
청주를 배경으로 쉼터를 만든다 한다.
10만여 평이라니 어마어마한 규모이고
공사비만 20억이 넘는다니,
산자락에 등산로를 닦는 등 조용한 변화가
문백면에 올 거 같은 예감이 든다.

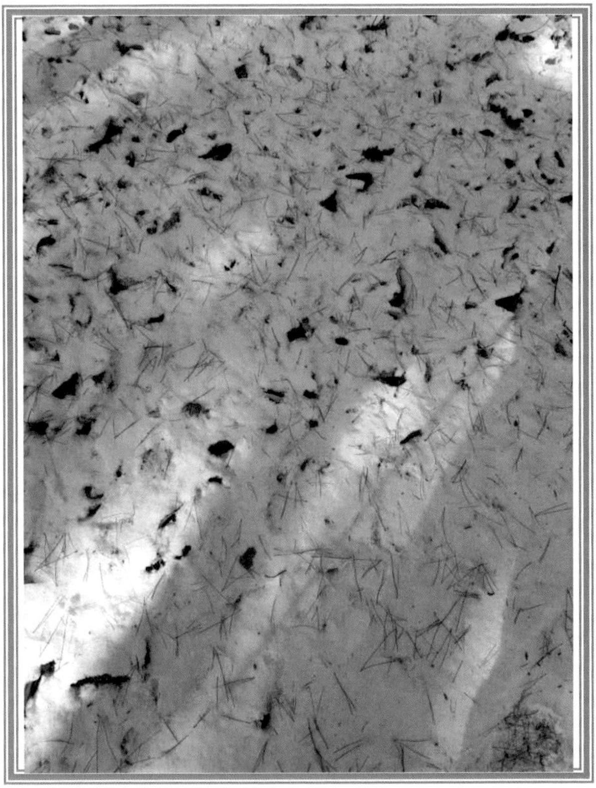

은여울산 오솔길은 하얀 눈길로 포근하지만,
눈 위로 쏟아져 내린
썩은 솔가지며 솔잎낙엽이
하얀 길 위로 잔뜩 쏟아져,
수채화를 그려둔 듯 요란스럽다.
어제의 강풍에 힘없는
썩은 가지며 겨우 연명하던
솔잎이 몽땅 땅 위로 뒹굴었다.

오직 한 사람
하얀 눈이 쌓인 언덕길에
걷고 있는 그 사람
아주 외로워 보이는구나.
차갑던 날씨는 제법
걷힌듯하나,
바람에 부딪히며 다가서는
공기는 움츠리게 한다.

Part 2

자연과 어울리며

눈 내리는 입춘

초평호 후문 캠핑장 쪽
습한 공기 속에서 물안개를 품은 체
수많은 텐트 모습이 눈에 띈다.
집 벗어난 모습으로 일상을
엮고 있는 것 같다.
2021년이 시작되나 했었는데 어느새 2월이 시작된다.
오늘이 그 첫날이고 내일 모래면 입춘이라는데
눈이 내린다니 계절이 헷갈린다.

천년정을 코스로 잡고
등산이정표를 따라서 걷는다.
멍석을 깔아둔 멋진 산행길이다.

농다리 관광코스로 정성을
잔뜩 쏟아둔 진천군의 명품 관광코스다.
구불구불 산행길까지
구성한 곳에 조용히 다녀왔다.

솔잎 쏟아진 오솔길엔
쿠션 좋은 등산로가,
날 기다리는 좋은 모양새다.

구름 한 점 보이지 않는
새파란 하늘이,
숲과 섞여 내 가슴에 들어온다.
자주 와서 걷겠다고 다짐해둔다.

늦가을에 된서리처럼
살짝 내린 눈 자락이,
오솔길 걷는 내 발자국에
발바닥을 그려낸다.
오늘이 입춘이니
요 며칠 지나다 보면
차가움은 걷히겠지…?

입춘에 내린 눈 온 세상이 하얗다.
산으로 오르기엔 부담스러워
은탄교 주변 미호천 강변을 걷고 온다.

하얀 눈 위로 부는 바람
강물을 스쳐오는 강바람
차갑진 않고 시원함을 준다.
상쾌한 오늘이 영하3~4도니 봄바람임이 틀림없다.

흐르는 물줄기엔 수없이 많은 오리 떼가
먹이 찾아 모여 있다.
파란 하늘 휘저으며 까만 새가
떠가더니 급하게 공격한다.

매의 사냥 모습이 눈에 보인다.
먹고 먹히며 자연을 엮어가는
생태계 모습이다.

어제 내린 눈 자국이
산자락 여기저기에
하얀 띠를 둘러맨 듯 겨울
분위기를 풍긴다.

맑은 공기 소나무 숲길 푸른 하늘 잔뜩 품고,
걸어야 하는 내 몸
내가 스스로 챙겨서 움직인다.

코로나 거리 두기가 친척들 만나는 것은 물론,
직계가족의 모임도 부담스러운 설명절이니
내가 대표로 인사드린 격이다.
힘든 하루지만 뿌듯한 오늘에
내가 할 일을 해내면서 혼자 흐뭇함을 간직한다.
큰집엔 먼발치서 손 흔들며
조상님 뵙고 간다고….
코로나 부담에서 스스로 알아서 행동했다.

고향 하늘은 완연한 봄 날씨로
보리심은 밭 자락엔 파릇파릇 순이 널려있고,
고사리밭에 고사리순도 눈에 보일 거만 같다.

미세먼지 자욱한 고향엔
보성에서 목포까지
기찻길도 완성된 듯…….
올해 안에 기적 소리가 울릴 것 같다.

안개 낀 하늘에
미세먼지까지 자욱하다.
미호천 강변에 물안개 떠 있는 곳
여러 날 만에 은여울산이다.
유산소운동 수준에서
쉬지 않고 하는 걷기운동이,
장거리 운전에도 버틸 수 있음을
스스로가 알아볼 수 있었다.

찬바람이 불어온다.
아주 많이 차갑다.
입춘지나 봄이 익어가나 했더니,
영하 7도를 오르내리는 찬 기운이 내 몸을 괴롭힌다.
은여울산 오르막에 햇빛은 요란스럽지만,
바람에 부딪힌 나뭇가지 소리
찬바람 일으키며 손가락 마디마디로
손 시림을 알려온다.

통행이 제한되었던
1000년 된 농(籠)다리가 며칠 전에
통행이 자유로워졌다.
오리 떼가 먹이를 찾고
백로가 오리 떼 주변에서 외롭게 서성대는 모습,
미호천변 강변과 많이 닮은
농다리 주변 강줄기 모습이다.
초록색 물줄기가 아주 새롭다.

떼 지어 모여든 오리 가족
그 주변을 헤매는 백로 한 마리
먹이 찾아 은여울산 입구
미호천 강변에 둥둥 떠다닌다.
모이고 모여서 30마리가 넘는 오리 가족이다.
코로나로 모이기 힘든
인간 세상을 비꼬기라도 하는 듯
봄나들이 겸 먹거리 사냥을 즐기는 모습 아주 부럽다.

꽃망울 머금은 나무줄기가
눈에 띄는 언덕길
봄이 온 거는 맞는가보다.

하늘은 잔뜩 찌푸리고
구름 낀 오늘이 별로다.

설 명절 연휴가 시작되는 첫날,
집 앞 도로엔 차량 이동이 번잡해진다.
코로나 방역 기간에 골프장은 바삐 돌았다고 한다.
세상은 요지경 속이다.

물가에 백로는 짝을 잃은 모습인지?
짝을 못 찾은 모습인지?
늘 혼자서만 내 눈에 띈다.

농다리 맑은 공기 속에서
운동 좀 하고 오겠다며
서울사람 모두가,
집을 벗어난다.
갇혀 지낸 서울 생활이
많이 힘들었던 모습이다.

까치까치 설날은 어저께고요,
우리우리 설날은 오늘이라 했었는데…….?
가족 모임도 차단되니
설 기분도 엉망인 거 같다.

관광지 농다리 코스는
명절에 모여든 인파로
많이 번잡하단다.
피해야 하고 조심해야 하는 코로나이니,
아예 나 혼자
걷는 곳, 은여울산에서
맑고 포근한 날씨를 즐긴다.
뚜벅뚜벅 걷는다.

하늘에서 움직이는
요란스러운 구름 자국
햇살 먹은 밝은 곳과 뒤편의
검은 구름이 멋진 풍경으로 보인다.

화가가 따로 있나? 바람아!!
네가 화가라면
구름을 휘저어서 멋진 추상화를 제공해다오.

봄이 온 듯 시원하더니
논고랑에 눈 녹아 고인 물도 보이고
갈아둔 논 자락이 축축하다.
개구리가 나올듯했었는데
추위가 다시 온다니, 땅속으로 숨어들게 뻔하다.
우수(雨水)가 임박하니
땅이 풀리면 농사준비 해야 하는데….

추위가 겹치더니 눈까지 쏟아진다.
하얀 눈발이 예사롭지 않다.
많이 쌓여가는 마당을 주시하며,
기상예보가 한 치도 오차 없음에 많이 감탄한다.

하얗게 쌓인 눈
나무 위도 지붕 위도 마당에도
눈 밟으며 걸어보자꾸나.…….

어제 내린 눈
산 전체가 하얀색이다.
나뭇가지엔 아예 눈 모습이 보이질 않는다.
바람결에 눈꽃이 사라진 듯
하늘을 향해 나무만 솟아있다.

떠 있는 구름 결이 햇빛에 둘러싸인 체
그 모습이 가지각색이다.

더샘터 캠핑타운이 엄청난 규모로
오픈일이 가까워지는 듯싶다.
바퀴 달린 집도 보이고
콘도형 건물, 카페, 이마트 슈퍼
물놀이 놀이터까지 준비된 내용이 다양하다.
코로나가 마무리되면
젊은이들의 쉼터로
크게 주목받을성싶다.

벚나무에 새순이 보이는 봄날.
차가운 듯한 봄바람에
봄소식을 전해주는 시기인 듯
여기저기 움트는 모습이….
눈에 보인다.
구름 한 점 없는 푸른 하늘이
오르는 길목에 있는
내 가슴을 활짝 열어젖힌다.

기계톱 소리가 요란스럽다.
열봉지점 주변에
벌목하는 모습이 눈에 띈다.
굵은 나무가 넘어지는
모습에 산자락이 환해진다.
벌목 후 좋은 나무를 심으려는지…?
좋은 모습으로 바뀌기를
희망한다.

활짝 갠 봄날
산을 찾아 오르는 길
많이 힘들다.
후덥지근 미적지근한 날씨
언제 추웠느냐고…?
퍽퍽한 다리 끌고 은여울 오솔길에
땀 흘리며 용을 쓰고 걷는다.
날씨가 풀리니 몸이 무거워지는 계절 탓인가 싶다.

문백면 소재지 농협에서
충북대 천문대까지 걷기를 했다.
포장도로를 따르며 차량을 피하며
코스를 잡아 걷다 보니 많이 위험하다.

오토바이며 외제 차가 속도를 내면서
퍼블릭 골프장 화랑으로 달려가고
여기저기에 아파트분양 광고판 현수막이 즐비하다.

집 뒷산을 등산 놀이터로
낫을 들고 추스르며 올라선다.
낙엽이 쌓여있고 덤불이
무성하여 미끄러지면서
계속 헤쳐나간다.
엉클어진 나무를 정리하며
내가 움직이는 길목을 완성한다.
무량사를 돌아서 아침 시간을 소비하고….

들판을 가로질러
미호천 강변으로 나들이를
다녀온다.
볼일 보러 쏘다니느라
음성 꽃동네학교 주변까지
헤매며 돌아다녔더니,
오후 늦게 율무와
동네 앞을 헤매며 돌아온다.

봄이 들어서니
꽃도 심고 나무도 심고
여기저기 준비해야 할 여러 곳이
눈에 보인다.

버드나무 아카시아 해송이 하늘을 뚫고 올라선 곳,
톱을 들고 베어내며 주변을 살피면서
오늘이 시작된다.

옥천 묘목 시장에서 배달된 묘목이 도착하여
빈 땅에 자리 잡으며 식목행사를 진행한다.
내가 심은 과일나무 따 먹는 재미는
심어 본 사람만 먹는 재미를 알리라.
키위 포도 사과 복분자 오디 복숭아 살구 배나무
흑자두는 열매와 꽃을 줄 것이고
왕벚꽃 미선나무는 향기를 제공하며 주변을
맑게 조성해주리라.

엄청 맑고 깨끗한 날씨다.
미호천 강변에 흐르는 물줄기가
아예 초록빛이다.
물결치며 흐르는 모습,
오늘이 정월 대보름이니
불놀이하면 딱 좋은 강변이다만,
빨간 깃발 산불단속 차량의 호령에
불놀이는 사라진 지 오래다.

미호천 강변에 내려서니
수없이 많은 오리가 떼 지어 움직인다.
스케이트 선수가 스타트하는
모습으로 날갯짓하며
물 위를 솟아오르는 오리들,
엄청 즐거운 모습이다.
너희들은 모여서 즐기는데….
우리네 인생살이는 방콕하며 봄을 맞아야 할 것인지…?

2월 말일 이니
올해 들어 벌써 2달이 지나간다.
세월은 쉼 없이 달리고
내 몸은 한없이 약해지는 기분
나만의 생각은 아닐 것이다.
할아버지 할머니로 불리는
모든 사람 생각일 것이다.
쌓인 낙엽 밟는 소리에 귀를 세우고 걷고 있다.

Part 3

자연과 어울리며

봄맞이 행사

수목원을 지나서 산 입구에 들어서니
주변이 온통 하얀색이다.

눈높이의 나뭇가지에도
높이 솟은 소나무 잎에도
하얀 눈이 엉켜서
눈 꽃핀 아름다운 모습이
봄꽃을 대신한다.

경칩이 가까이 다가오니
두더지 개구리도 땅을 밀고
올라서겠다.
벌목현장에 잘린 통나무
포크레인 중장비가
큰 나무를 찍어서
아래로 굴리는 모습,
그 경사진 곳에서 대단하다.

여러 시간 힘들게 움직이다
따뜻한 봄 날씨에 돼지 목살을 굽는다.
일한 후에 고기 맛은 먹어본 나만의 자유일 듯….
표현하기 힘든 맛이다.
땅을 밟고 시골 사는 맛
집 밖에서 불 피워 고기 굽는 맛
이래서 자연을 찾아 자연인이 되는가 보다.
많이 상쾌하다.

많이 깜박거린다.
안경을 벗어두고 찾아 헤매고
핸드폰을 놓아두고 두리번거리기를 한두 번이 아니다.

탤런트 가수 개그맨을 보면서도
그 이름을 기억하기 쉽지 않다.
오늘도 핸드폰을 집에 둔 체
은여울산을 다녀온다.

크고 우람하던 참나무가 모조리 잘리더니,
포크레인 장비의 움직임에 통나무가 실려 나간다.
땔감인지 버섯재배 목인지?
아니면 참나무로 혹시…….?
집을 짓는 목재로 쓰일는지?
봄과 함께 묘목을 심어두면
홍송의 아름다움이 몇십 년 후에 숲으로 변할지
많이 궁금해진다.

갈매기 날아오르고
바닷물 출렁이는 서해바다
삼길포
내륙 진천에서
90분을 달려야 삼길포가 보인다.
먹는 자 당신이여!
복 받은 인생일지니
세상을 느끼며 고맙게 느끼거라.

면역력 강화 차원에서
몸단속해준다고 당분간은 병원엘 다니란다.
65세 이상도 코로나 백신을 접종한다니
면역력이 절대적이리라.

미세먼지 자욱한 하늘
안개 낀 듯 흐릿한 전방
저 멀리 뿌옇게 산봉우리가 잡힌다.

넘어진 나무를 추슬러서
화목용으로 토막을 낸다.

무더기로 여러 곳에
쌓아두고
가시덤불 및 잘라낸 부스러기는
풀 나는 곳에 쌓아서 잡초를
방어해둔다.

사는 곳 진천에서 한 시간쯤 달려가면
세종시 연서면 고복저수지에 도착한다.

계곡 깊은 곳에 저수지가 자리하고
삥 둘러 데크도로를 이어서 걷는 사람이 즐비하다.
짝짝이 부부부터 젊은 연인들
걸어가며 속삭인다.
사랑이 익어가는 모습이다.

농암정(籠巖亭) 오르는 길목
줄지어서 흔들리는 미선(尾扇)나무 하얀 꽃,
천연기념물로 진천문백에 자생한다.
사는 곳 집주변에도 이따금
보이는 미선나무꽃….
은은한 향기를 뱃속으로 깊이깊이 들이키고 싶다.
잠깐이면 지나가고 벚꽃 피면 사그라든다.
농암정 벤치에서 초평호 바라보며 꽃 속에서 즐긴다.

살구꽃 매화꽃만
이따금 눈에 띄니 아주 아쉽다.

고향에서 차례 모시는 3월 셋째 주 일요일 행사를
모여서 할 수 없음에…….
친척들 고향 나들이를 멈추게 하고,
시골에서 안전하게 사는 현지가족과 나만 조용히
현지에 참석 인사드리기로 맘먹었다.

올해 3.3.토.정
진천2인 현지4인으로
조촐했지만 성의를 다해
우리를 보여드렸다.

승훈, 승명이가 새벽 일찍 묘원을 다녀가며
향기 지긋한 생화를 올린 모습이
코로나를 이겨가며 아름다운 모습으로 나에게 전달된다.

동백꽃이 피어있고
묘원 둘레에 심어진 나무에선 새순이 움터오는 오늘,
엄청난 바람에 차례 모시기
너무 힘든 모습이다.

모여서 도란대던 모습이 언제였었는지….
까마득히 먼 옛날에 소주 돌려가며 삶을 나누던
그 기억도 2년여가 지나갔다.

오늘은 소나무 그늘에 자리 잡고
산속에서 삼겹살 파티다.
돼지고기 맛이 이렇게나
입속을 즐겁게 하다니……

일이 완벽히 끝난 건 아니지만
벌목이 마무리되었다는 안도감이,
고기 맛을 더더욱 느끼게 하는 거 같다.

진달래가 만발하고
개나리가 노란색으로
미호천 강변을 달궈댄다.
강변 물 흐름은 초록색으로
푸름을 짙게 하고,

들꽃이 산모퉁이 여기저기에
이름을 숨긴 채 걷는 내 걸음을 멈추게 한다.

새순이 돋아 오르는
참나무 가지며
금방이라도 피어날 듯한
길가 벚꽃이 꽃구경을
재촉하는 듯 망울 모습이 굵다.

땀을 쏟아내는 걸 보니
더위가 아주 짙어진 듯하고

소나무 잘라서 목침하고,
땅바닥에 베고 누웠더니
하늘을 이불 삼는
한가한 내 모습이다.

미세먼지 황사 날린다더니
솔솔 부는 봄바람에
누운 내가 즐겁기만 하다.

Part 4

자연과 어울리며

벚꽃 잔치

하얀색 조팝나무 꽃은
지긋이 향기를 주며
눈과 코를 즐겁게 한다.

소나무 새순은 어느새 올라서서
키 재기를 하느라고
봄을 시샘하는 듯하다.

4월이 다가서니 차창 밖으로 하얀 꽃
줄지어 피어있으니 벚꽃 행렬이라 하더라.
몸이 피곤하다고 집안에서 빈둥댔더니
내일 모래는 비가 쏟아진단다.
비 내리면 벚꽃이 지고 내년을 기다려야 한다.
나 혼자 농다리로 꽃구경을 나선다.
하얀색 벚꽃 더미가 주변 산을 둘러댔다.

집주변에 살구꽃과 불그레한
흑자두꽃은 알맹이를 맺으려고
요란스럽게 꽃 자랑이다.

밭 자락에 던져둔 퇴비
비 오면 풀어주고,
로터리 쳐주면 모종 이식이 시작되리라.

3월에 시제 모시러 고향 강진에 들러서는,
종중 산에서 자라고 있는
편백을 이식하여 150주를
진천에 심어뒀다.

땅이 빈 곳이 나타나 나무 시장에서 거금을 투입
24주를 추가로 매입 심어뒀으니…….
편백 숲으로 변하리라.

흐린 하늘 구름 속으로
삐죽이 햇빛도 쏘아주는 오늘
산언덕 할미꽃 많은 곳에
율무와 올라선다.
아직은 순이 돋는 시늉뿐
할미꽃도 한참을 기다려야 할듯하다.

멀리멀리 논둑길엔
낯선 모습의 여인네들이
나물 캐느라 아주 바빠 보인다.

노랗게 피어나는 꽃
민들레 유채 산수유가
요란스럽다.

바람결이 예사롭지 않게
나무를 흔들어대는
오늘이다.
봄은 봄이되 먼지 날린다.

길목 여기저기에
배 복숭아가 꽃을 자랑하고
꽃 잔디로 빨간 꽃 흰 꽃이
줄을 지어 피어있는 모습
많이 아름답다.

들꽃이 제멋대로 돋아나고
풀로 보이는 망초도 몸부림치며 솟아오른다.

재래종 진달래가
철쭉 피는 시기에 꽃 모습을
하얗게 내보인다.

봄이 깊어 나른한 오늘
꽃띠라 하얀 나비가 모습을
보여주니 한결 한가롭게
하루가 엮여 가는듯하다.

세종에 볼일이 있어.
겸사겸사 아침을 거르고 병원까지 들려온다.

늘 들리던 호수공원에
연초록 봄을 느끼고 붉은 단풍의 아름다움도 담아보려
호수 주변을 돌고 있다.
마스크 둘러쓰고 걷고 있는 시민들 모습,
건강을 유지하려 진천 노인도 함께해본다.

5월이 임박하면 모종을 이식한다.
고추 참깨 고구마 오이 토마토 가지 콩을 심어두고,
밭고랑도 덮어둬야 풀과의 전쟁도 이겨낸다.

고라니 멧돼지 출입은
삥 둘러 망을 쳐서 막아야 한다.
할 일은 많고 일할 사람은
나와 또 한 사람…….뿐.

흰 꽃 민들레 꽃 피는 언덕
내가 심어둔 곳에서 상당히 먼 곳인데
꽃씨가 날리었는지 제법 탐스럽게
모습을 보인다.

몸에 좋다는 흰 꽃 민들레
순을 따다 나물로 먹으면
온몸이 포근해 질려나.?

시골에 꽃 잔치다.
화원에 꽃구경 가질 않아도 주변이 요란하다.

블루베리 쬬코벨리 모과 자목련 튤립 수선화
금전초 골담초 도화가 꽃 피우느라
야단법석이고
고추 모종 이식 시점에서
내 코에 향기를 전해줄 듯도…. 하다.

곡우가 지났으니
보름이 지나면 여름철이다.

인삼 심어둔 삼밭엔
연초록 모습의 수없이 많은
인삼이 올라오고 있다.
몇 년 후엔 큰돈으로
농부에게 보람참을 안길 듯하다.

연초록 녹음으로 변색한 초평저수지 주변의 둘레길
산자락엔 그 많던 벚꽃이며 진달래가
흔적도 없이 사라졌구나.

MBC 연속극 ''밥이 되어라'' 촬영팀이
농다리 주변에서 북적대고 있다.
촬영하는 모습이 멀리 보이고
관심 없는 나는…. 그냥 지나칠 뿐이다.

생거진천에 수도권에서 기차가 이어진다니
좋은 징조로는 보인다만….
내가 그 기차로
서울은 못갈 듯도 하다.

서울 가는 길이 절반 시간으로 줄어들면
강남역에서 김포 가는 시간에 진천도 오게 된다.
좋은 세상은…. 오는데?

일수열봉을 헤아리며 열봉지점에 이르니
벌목하며 베어둔 자리에
받침대가 가늘게 꼽혀있다.

뭔가하고 살피니 편백 묘목이 땅 위로
20cm쯤 심겨있다.
저렇게 작은 묘목이 세월 가면
장흥 우드랜드처럼 수목원이 형성된다니….

할미꽃이 꽃동산에서 흰 머리털 날리며
요양병원 노인네 모습으로
단체로 모여 있다.

아름다운 꽃을 고개 숙이며 피었을 텐데….
때를 놓쳤더니 어느새
하얀 머리로 돌변한 체
볼품없는 노인 모습을 연출한다.

맑은 하늘이 숲을 뚫고 나타난다.
햇살이 뚜렷이 쏘아 오는 곳
맑고 푸른 하늘이 구름 한 점도
허락하지 않은 오늘이다.

평일보다 느즈막에 은여울산 오솔길에 들어서니
후닥닥 치솟는 두 마리의
꿩이 내 눈에 띈다.

숲이 우거진 산
오르는 오솔길엔
숲이 가려주니 걷기 좋은
그늘이 계속 이어진다.

제법 찬 기운이 도는 듯한
바람결이 일고 있지만
오르막길에 내 몸은 땀이 비친다.

꽈리 당 아사기 청양고추며
일반 고추를 골고루 심는다.
300포기를 넘겨심고
고추 막대까지 꽂아두느라 고달픈 오늘을 보낸다.

밭 가장자리에 줄이어 핀
고운 철쭉이 피곤한 나를
위로해 주는 듯하다.

아이리스가 꽃망울을 터트리고
철쭉이 색색으로 아름다움을
전달해 오는 곳
키워며 사과 배 체리 살구까지
열매 맺을 태세로 순을 틔운다.

나뭇잎이 흔들리고 꽃잎이 펄럭이고
심어둔 약한 고추 모종이 가늘게 흔들린다.

Part 5

자연과 어울리며

대둔산 여행길

충청권 명산 대둔산자락
공해가 전혀 없이 맑고 깨끗한 물줄기가,
바닥을 장판처럼 깔고 앉은 엄청 넓은 바위 사이에서
상수도처럼 쏟아지니 신기하게만 보였다.

30년이 넘는 세월을 가꾸고 관리하셨다니
우람한 나무며 명품 꽃까지
내 눈이 쫓아가느라 아주 바빴다.

주변에 연녹색 꽃가루
송홧가루가 보이는 모든 곳에
연두색 색칠을 해대더니,
내린 비에 말끔하게 씻겨나갔다.

꽃가루 알레르기에 눈물 콧물 흘리며
고생하는 주변 사람
맑은 공기로 치료되었으면 한다.

눈에 띄는 아름다운 꽃
아이리스 흰 꽃 보라 꽃 복스러운 불두화(수국)
연녹색 푸르름이 초록으로 변해가는 주변의 나무,

그렇게도 쏟아내더니
소나무 송홧가루 대신에 아카시아 하얀 꽃,
넝쿨째 뻗어가며 향기를
내뿜는 찔레꽃이 내 코를 벌름대게 해댄다.

어느 날 갑자기 작약꽃이 나타난다.
몽글거리며 피어날 듯 피어날 듯….

꽃보며 향기를 맡고 싶어 안달 난 나에게,
햇볕이 쨍쨍 쪼이는 곳
밭둑에서 이쁜 꽃을 안겨준다.
꽃에 코를 마주쳐보니
향기를 지긋이 가슴속에 던져준다.

오전 4시간 오후 4시간
종일 예초기와 싸우며
중노동에 시달려본다.

깎다가 힘에 부치면 밭도랑 풀밭에서
자세 없이 편한 모습으로 잠시 쉬다가
예초기 엔진을 쉽게 일으키며
풀을 자르기를 소신껏 했다.

월 초파일이 임박한 지
무량사 나무줄기엔 연등이 출렁대고
우리 집 앞 도로변엔 부처님 오신 날이라고
현수막이 펄렁댄다.
연등 행사도 비대면이면
거사 보살 방문객이 올해도,
한자리에 모여들긴 어려운 듯싶다.
코로나 19가 2년째 연등 길목을 막아선다.

참깨를 심는다.
집 앞 텃밭 300여 평 검은 비닐 씌워둔 곳에
아침 일찍부터 심는다.

슈퍼참깨 씨, 비싼 값으로 사 왔단다.
35센티 간격으로 구멍 뚫고
씨를 넣고 상토를 덮어주면서 고달프게 움직인다.
삥 둘러 금화규씨 밭 입구엔 찰옥수수.

아카시아 향기 찔레꽃 향기가
코끝으로 날아들어 내 기분을 잡아주면
걷는 길 초평호에서
내 모습은 싱글벙글한다.

하늘 다리 구멍가게에서 거금을 투자하니
아이스크림 2개가 순간적으로 목을 축인다.
땀 흘린 후 시원한 그 맛, 너무나 개운하다.

징검다리는 물이 넘치니 걷다가 돌아서고
돌로만 이어놓은 천년 된 농다리를 건너는데
오늘따라 걷는 사람이 너무 많다.

비켜서서 기다리며 건너오면서
매일 연속극 ''밥이 되어라'' 촬영 현장을
오늘은 내가 건너온다.

비 온 뒷날 산으로 오르니
오솔길이 촉촉하고
서 있는 나무는 더더욱 울창한 듯
걷는 길목이 시원하다.
어린이날 입하(立夏)였다니
여름으로 접어든 지 10여 일이 지 나섰고,
여름 계절이라 저녁으론
더워서 뒤척댄다.

언젠가는 원상태로 되돌아오겠지만,
지루하고 답답하고 궁금하고…….
안보이니 편하기도 하며
땅굴 인생처럼 집안에 묶여 지내니,
내 몸만 지키려 몸부림을 쳐댄다.
집 나오며 맡은 향기 재스민 허브 장미 난 찔레꽃의
싱그런 향기가 콧속을 맴도는 요즘,
꽃 속에 갇혀 사는 시골의 내 모습이다.

자연은 속도 내서 푸르러 가지만
농작물은 더디게만 커나가는 그런 모습이다.

선인장 심어둔 곳에
새끼 달고 솟아오른 선인장,
순 따서 설탕에 버무리면
멋진 효소가 탄생할 성싶다만
먹을 사람이 없다.

똑같은 갈대지만
바람에 날리며 연인을
부르는 아름다움도 있지만,

칡넝쿨에 얽힌 체 수없이 번져가며
무한정 힘 솟는 내 주변 그 모습은,
자다가 꿈속에라도 나타날까?
까무러칠 정도로 싫어진다.

미호천 상류
비바람 휘몰아치고 번갯불 튀면서
비 쏟아진
며칠이 지나선지 흙탕물이 흘러내린다.

물속이 탁해서인지
백로며 오리 떼는 온데간데없이
흙탕물만 유유히 흘러내린다.

EBS를 통해
세계여행을 탐색하고
명화극장 시간을 따르다 보니,

어젠 타이타닉을 새벽 2시까지
감상하면서 사랑의 존재를
다시 한번 찐하게 느꼈다.
세상 사는 맛이 어떤 것인가?

감사와 사랑으로 행복 했어야 할
5월이었지만 코로나로 인해
무척 힘든 나날을 지내 오던 중
5월의 마지막 날이 오늘이다.
잦은 봄비로 신록의 푸르름이 짙어지고 녹음이 우거진
초여름의 풍경이다.
꽃구경하다 보니 습한 땅 자라나는 잡초 사이로
더위가 후끈 올라선다.

Part 6

자연과 어울리며

카페 '강가에서'

봄이라 떠들던 5월은 갔고
하지감자 뜨거운 햇볕
장마가 시작되는 6월.
들판을 걸어서 돌아왔더니
논두렁엔 벼모종이 줄서서
초록빛 들판을 내 눈으로 전해온다.
모심기가 시작되더니 어느새 끝나버렸고,
물 잡힌 빈터는 눈에 띄질 않는다.

생각 없이 살다 보면
세월은 쌓여간다.
몸 추스르며 걷다 보니
마을 앞 들판 길 은탄교주변
미호천 강변을 율무와 걸어온다.
농사철에 비까지 내리더니
강물이 탁해져서 막걸리가 흐르는 듯….
미호천이 가득 넘친다.

숲이 우거진 산
하늘에 맞닿은 산
하늘과 부딪히는 초평호수
바람이 불고 나무가 흔들리고
노란 코스모스가 길가를 장식하고
울긋불긋 흔들리는 노란 꽃,
가을 코스모스는 아니지만, 여름 코스모스라 불리는데
농다리 뒷산 길을 뒤덮는다.

한반도 지형을 닮은
초평호를 아우르는 산이 미르산이고
이따금 그 산이 나를 불러댄다.

용의 모습이라 미르라하고
미르산 정상에 쉼터가
미르 전망대로…. 이름 지어졌다.

맑은 하늘 하얀 구름
''강가에서'' 카페가 눈에 들어오는
대청호 수변도로 오늘 찾아 나섰다.
까페이름이 시작된 곳부터,
대청호에서 흘러내리는
금강 상류
나무 그늘이 덮여있는
데크도로를…. 걷는다.

앞에 보이는 금강물이 너무나도 아름답다.
나무 우거지고 쉼터가 준비된 곳
맑은 물까지 눈에 들어오니,

앉아있는 내 모습이
행복스러워 보일 듯도 하다.
역시나 행복하다.
자연 속에 빠져들고 싶다.

더위가 다가서는 여름
뜨거워서 선풍기며 에어컨을 가동해야만….
견뎌낼 수 있는 거 같다.
산속 시원한 곳으로 장소를 이동하고
은행나무 그늘에서 율무와 쉰다.
시계풀이 잡초로 꽃 피운 체 눈에 오고
맑고 푸른 하늘이 숲을 배경으로
더더욱 맑게 들어온다.

오이가 주렁주렁
굵은 거는 따서 입에 넣고 오물거린다.
먹거리로 가장 먼저 도착하는
싱그러운 햇과일이다.
뽕나무에 오디, 싱싱한 보리수
손길을 기다린다.
야릇한 꽃내음이 진동하는
밤나무가 초록색 수염 꽃을 잔뜩 머금고 있다.

칭칭 감고 올라선다.
칡넝쿨이 주변의 아름다운 곳
단풍나무를 향해서….

가시덤불 헤치고 땀 흘리며
내가 올라선다.
너무나 우거진 모습에
아예 넋을 놓는다.

잡초가 전성기로 다가서니
클로버며 제기풀이 마당 바닥을 온통 덮어댄다.

어디서 날아드는지 도대체 알 수가 없다.
먹거리가 인간에게 풀처럼 날아든다면….
세상 걱정은 없을 텐데^^.
보기 싫고 나 자신 지저분한 마당을 용서할 수가 없다.
새벽 동트자마자 예초기를 가동한다.

고추 심은 지 한 달여에
끈 묶음이 4번째다.
쑥쑥 자라더니 고추꽃이
만발한다.

고추가 보이기 시작하니
빨간 고추 수확 시기가
얼마 남지 않은 것 같다.

여기저기에 온갖 꽃이 다 피어난다.
심고 다듬고 풀매고 하더니
아름다운 모습이 절정을 이룬다.

꽃을 보는 마음에
행복함이 스며들고
마음에 평화가 젖어 드는 듯
기분이 좋아진다.

정원에 서 있는 심야등은
햇빛에 달궈져서 어둠을 밝혀주니
이 또한 자연이 선물해준
맑고 깨끗한 밝음이다.

접시꽃 피어오른 뒤뜰,
아침 공기를 마셔보며 나를 살핀다.
건강한 하루를 기대한다.

수리된 예초기를 받아들고 풀 깎는 시간을 보내다
튀어 오른 돌조각이 장화 위를 때리더니 통증이
오고 상처가 보인다.

기계는 조심 마음가짐은 단단히 해야만
하루하루가 안전하다.
절룩거리면서도 꽃밭이 너무 좋아 흥얼대며 찍어간다.
아름다움은 꽃으로 표시된다.

맑은 하늘 하얀 구름
푸르게 흐르는 미호천 강물
눈에 익은 자연의 모습 속에
파란 숲이 눈가에 와 닿으니
이보다 행복할 순 없는 거 같다.

풋고추 따고 상춧잎 뜯고 싱싱한 오이 분질러서
아침 식사 마무리하고 길을 나선다.

향기가 진동
백합꽃이 어느새 마당에 보인다.
나리는 아직 인데
짙은 향을 풍기는 백합이
눈길을 당겨간다.

내려서는 길목에 더덕이 길게 순을 올리고
취나물도 씨를 맺으려 한없이 올라선다.

블루베리 보라색 열매는
나무마다 주렁주렁….
나도 먹고 율무도 먹는다.

붉은색 앵두는 씨까지 씹어서 숙변을
제거하며 장청소까지 진행했더니….
시골 사는 오늘이
많이 보람찬 듯싶다.

꽃이 피는 정원에서
꽃과 함께 서 있는 시간
기분이 좋아진다.
낮 달맞이꽃이 피고 지고
지고 피고 끊임없이 이어진다.

여러 색깔의 채송화가
좁은 공간을 채워간다.

자동 분무기로 고급스럽게 영양제를 투여한다.
살충제를 섞어서 고춧잎을 닦아주니
비 온 뒤 농사일을 마무리한듯싶다.

가슴높이를 치고 오른 잘 자란 고춧고랑을 눈여겨
들여다보니 어쩐지 대풍일듯….
기분이 흐뭇하다.
탄저병만 없다면 작황은 근사하겠다.

프록스 능소화가 오늘 보인 꽃이다.
새롭게 피어나는 능소화
수없이 많은 꽃잎을 달고 나온 프록스….

장미며 낮달맞이 송엽국은
꽃잎을 유지한 채 계속해서
나비 벌 유인하며
아름다운 세월을 읽게 한다

소담정
공주의 공산성 인근 명품 한정식집이다.
보리굴비 준비되면,
녹찻물에 밥 말아서 짜디짠
굴비를 한 모금씩 입에 넣는다.
그 맛은 먹어봐야 표현된다.

시골 생활에 푸성귀만 먹어대는
내 생활에서
모임 장소로 선택된 소담정,
너무나 멋진 곳이었다.

Part 7

자연과 어울리며

도담 삼봉

7월 초하루
산울림으로 매미 소리가
울린다.
더위가 절정을 이루는
하반기가 시작되는 첫날

단양 도담 삼봉을 다녀온다.

늘 가보면서
쏘가리 매운탕으로 마감되더니
오늘은 기어이 쏘가리회를 먹게 된다.

입에 씹히는 맛
엄청난 식감으로 나타난다.
이가 성하지 않은 노인은
씹기가 힘들지 않을까 싶다.

기상예보 상
앞으로도 며칠간은 장마가 진행된다니,
농작물에 피해는 불 보듯 뻔해진다.

백합 향기 진동하고
비 맞으며 자라 오르는 잡초 속에서도
백일홍 꽃대는 아름다움을
전해오기도 한다.

가마솥에 굴뚝 세워
장작 넣고 불 때보니,
콩 삶아서 메주 쓰고
소머리나 통닭 삶아
삼복에 잔치라도 벌려야만 할성싶다.

작은 더위라는 소서가 오늘인 듯한데
습기 찬 날씨 탓에 온몸이 찌뿌듯하다.

장터에 나가서 큼지막한 토종닭 2마리를
사다가 푹 고고 있다.
복날에 통닭이 어떨 것인지? 많이 궁금하다.
가마솥에서 뿜어져 나온 수증기 향기에
벌써 닭 맛이 콧속에 기어든다.
꽃이 만발한 마당을 둘러보고
내 목 주변까지 커오른 고추밭에서 주렁주렁 달린
푸짐한 고추를 들여다보며

부지런히 움직이는
농부의 마음을 읽어간다.
백일홍 백합 난초에 능소화까지
가세한 꽃동산이 너무나 찬란하다.

초복 잔치를 치르는 나만의 오늘
이웃집 형님과 천둥소리
들어가며 실컷 먹는다.

금화규 노란 꽃잎이
올해 들어 처음 눈에 꽂히는
아침이다.

급한 대로 꽃잎을 훑어
입에 넣고 오물거린다.
달콤한 맛이 콜라젠으로
입속을 가득 채워준다.

세무서에 들렀다 오는 길목에
초평호수변 데크도로를 찾아 나섰다.

고인 호숫물이라
어젯밤의 소나기에도
물빛은 초록색으로 너무도 맑다.
미호천 상류의 흙탕물과는
비교되지 않는다.

멀리 보이는 후방사단
두타산
산등성이가 구름에 차단되는지
검은 그림자로 드리워진다.

바다가 연접되지 않은 충북에
초평호는 카누경기 연습 장소로
그 몫을 톡톡히 해댄다.

산과 산이 마주치고
계곡과 계곡이 부딪히는 곳
많은 물이 고여서 초평호수가 만들어지고,

그 호수 위로 하늘 다리
출렁이고
멋진 그곳에서 MBC 주말드라마
'밥이 되어라'가 촬영되었다.

세종에 들르는 날
병원 일보고
중앙공원과 세종호수공원을 누빈다.

엄청 더운 날씨지만
이따금 불어오는 바람결에
내 몸을 식혀가며
한 바퀴 돌고 돌아 여기저기를 살펴본다.

목초단지 꽃단지
사이사이로 걷는 사람이
편하도록 쉼터가 만들어졌고
풀 뜯는 엄마 아가 모습의
젖소가 눈에 띈다.

모형을 세워둔 것인데….
크기가 실물처럼 느껴지니 깜박 둘리고 말았다.

나무는
심은 지 얼마 안 되니
숲길이 어색하지만,

몇 년 후면 멋진 모습의
중앙공원에
많은 세종시민이
행복한 삶을 누릴 듯싶다.

나무가 빛을 가리는 오솔길
숲속을 걷다 보니 여기가 천국이다.

맑은 공기 콧속을 지나고
여기저기 고추잠자리 눈앞에서 아른거리며,
어디선가 움직이는 풀벌레 소리
나뭇가지에 숨어서 한없이 울어대는 매미 소리까지
자연의 합창이 울리는 곳

그늘지고 나무가 솟아있어.
한없이 맑고 깨끗하지만,
엄청난 더위는 어쩔 수 없이
몸에서 솟아나는 땀방울이 말해준다.

참나무 사이로 멀리 보이는
산등성이를 쳐다보니
시원한 바람이 내 몸을 식혀 준다.

오르는 길목 여기저기에
자생하는 많은 버섯이
눈에 들어온다만,

버섯에 문외한인 나에겐
채취의 기쁨이 없으니
버섯을 아는 자에게
먹거리로 채취되리라.

맑고 푸른 하늘에 구름 한 점
보이질 않는
뙤약볕 뜨거운 중복

너무도 덥다.
열대야로 시달리고 거리 두기로 옭아 메인 요즘
살맛 나는 사람들은
대권에 욕심부리는 그 사람들뿐인 듯싶다.

하늘이 잘 보이는 곳
벌목 후 소나무를 심어 둔 곳,
펼쳐진 하늘을 향해
핸드폰 카메라에
하얀 구름을 품고 있는 시원한 하늘을
사진 속에 담아본다.
나무 그늘로만 걷다 보니
하늘을 담는 것도…. 어렵다.

외로운 모습의 백로 한 마리
미호천 상류에서 오랜만에 보게 된다.
덥기는 하고 물은 흐리고
눈에 먹거리 고기는 안 보이고….

외로운 모습을 보이며,
매일 산에 오르는
내 모습과 아주 흡사하다.

만보코스 매미 우는 곳
은여울산을 걷다 보니
일찍 시작한 산행이라서
햇빛이 나무 옆구리를 찌른다.
오솔길에 그늘보다 햇빛이
많다.

금화규 노란빛 꽃
집안 이곳저곳에서
날이면 날마다 달맞이
꽃처럼 곱게 피어난다.
몇 시간 지나면 사그라들기 때문에
꽃봉오리 따다가 콜라젠 효소를 담고자
오전 일찍 옷소매 걷어붙이고 꽃 따는 일과가
앞으로도 두어 달…. 남짓

그늘진 오솔길에 산들바람 불어오고
어디선지 울어대는 매미 떼의
화음 속에…. 피톤치트 마시는
내 모습이 보인다.

가뭄이 계속되고
뙤약볕에 웅크리다 보니,
식물들이 타들어 간다.

맑은 하늘에 솜털 구름
푸른 바탕에 하얀 구름의
하늘 모습을 만들어둔다.

너무도 높은 곳에
아름다운 모습이긴 하지만,
뜨거운 태양이 오늘도
볶아댈 성싶은 그런 분위기다.

그늘이 그리워 산으로 오른다.
더위가 오늘도 엄청나다.

매미도 더워선지
심하게 소리 내며 울어댄다.
방향 없이 여기저기에서
벌레 소리를 압도하며
시끄러울 정도로 소리 낸다.

흐르는 땀 주체하기 힘든 날이다.
걷는 발걸음마다
뿌리는 어깨 마디마디
모두에 땀방울이 흐른다.

이마에도 목둘레에도 두상 모발에서까지
땀방울이 솟아난다.
지독한 더위다.

5월 4일에 모종 심어
7월 30일까지 온갖 노력을 다하였으니
수확이 많겠지 예측했으나,
첫 수확이 27kg뿐이다.

작년 이맘때 첫 수확량은 넘어섰으나,
가뭄에 부대끼느라 성장 속도가 더딘 듯,
만족스럽진 못하다.

비 온 뒤 물기 젖은 촉촉한 모습
나무도 풀도 오솔길 길바닥도
모두가 흡족해한다.

구름이 잔뜩 낀 하늘 우중충한 날씨에도
매미 풀벌레는 여전히 울어대고,
낯선 새소리까지
고요한 산속을 다듬고 있다.

Part 8

자연과 어울리며

금화규 노란꽃

금화규 노란 꽃이 아침이면 만개하고
잠깐 후면 꽃 모습은 없어진다.

중국원액 59도 술에 꽃잎을 담그면
1년 후면 고급 양주로 변한다.

콜라젠이 듬뿍 찬 몸에 좋은
로열 살루트에 버금가는 술을 보관할 수가 있다.

비 온 뒤 산길은 물에 휩쓸린 낙엽이
고랑을 타고 밀려간 모습이 발길에 잡힌다.
제법 많이 쏟아진 어제의
빗물을 상상케 한다.

오늘도 매미 소리는 요란법석이다.
살아있을 시간이 얼마 없으니
울기라도 해야만 스트레스가 풀리나 싶다.

독일의 메르켈처럼
평범한 삶 속에 이웃과 섞여가며
개인 욕심 없이 국민만 살피는
그런 분이 뽑혔으면…. 소망한다

덥고 짜증스러운 여름 더위
올해엔 유달리 더한다.
새벽에도 밤중에도 실내에서 지내기가 거북스럽다.

시원한 새벽공기를 온몸으로 들이키며
내 몸을 살펴보니 웃통 벗은 체
서 있는 원시인 그대로 모습이다.

이웃도 없고 주변에 어떤 이도 없는 곳
내 알아서 움직이면 그만이다.
자연인 프로그램에서
촬영 하잘까 걱정스럽다.

금화규 꽃송이가 유달리 복스러워
고량주에 꽃잎을 욱여넣어
콜라젠 고급 양주를 담는다.

고량주 56도 술값이 만만치 않다.
일 년 후면 고급스러운 보약이
생산되니 최선을 다해
술을 담고 모아둔다.

어젯밤에 쏟아진 소나기
잠깐 이었었는데….
미호천 물줄기가 완전히 흙탕물이고
은여울산 오르막길도 물에 젖어 밤색 길이 되었다.
가뭄에 목마름도 거의 해결된 듯싶다.
입추가 오늘이지만 몸에 부딪힌 더위는
아직 한여름이고
35도가 넘어선 더위란다.

은여울산 오솔길에 가을 된 후 오르는 첫날이다.
입추도 지났고 수확해야 할 농작물을
헤아리며 바빠지는 계절이
그렇게 반갑지만도 않다.
매미의 울부짖음이 산에서나 집에서나
쉴 틈 없이 귓전을 울려주니
자연 속의 내 모습이 유다르게
떠오른 듯싶다.

코로나로 여행이 자제된 줄 알았더니,
어제 뉴스 시간에 제주의 관광객을 발표하는데….
예년의 수준에서 조금도 줄어들지 않아서 깜짝 놀랐다.
김포공항이 붐비고 제주도는 거리 두기 4단계로
출입을 제한하는 모습이다.
코로나가 요란스럽기만 할 뿐인지
대수롭지 않은 그런 모습에
그저 멍할 뿐이다.

제법 가을 기분이 나는 날
매미 울음소리에
비행기 떠가는 소리에

산속이 많이 윙윙댄다.
하늘엔 잿빛 구름이,
흐르지도 않은 체 파란 하늘만
모두 가리고 웅크린다.

Part 9

자연과 어울리며

처마을 풍경좋은 집

세종특별자치시 첫마을 풍경좋은집

정면으로 금강이 흐르고
한국의 명산 계룡산이
저 멀리 눈에 띄는 곳….

어렵게 어렵게 이사를 완료했다.
이젠 정착하고 싶다.

사는 곳이 시골에서
쪼끔은 도시다운 곳
세종시 첫마을에 이삿짐을 풀었다.

걷는 것이 불편하고
걷다가 쉽게 힘들어진 모습이 요즘의 내 몸 상태다.
이삿짐 풀어진 새로운 곳에서
천천히 걷고 있다.

끊임없이 일정량을 운동하며
자신을 지키려 최선을 다해본다.
800년 전에 생겼다는 참샘에 들린다.

시원한 약수 한 모금 들이키며
금강을 살펴보고
어떤 모습으로 살 것인지?
많이 고민해야겠다.

창밖을 보니
내가 하늘에 서 있는 듯
자욱한 안개가 금강변 모습이다.
아침 운동차 세종보에서 강둑을 따라
공주 방향으로 걷는다.
마스크 입에 달고
둘이서 혼자서 자전거로
많은 사람이 안개 속을 지나간다.

태양광 발전소도 눈에 띄고
골담초며 야관문 갈대
달맞이꽃이 여기저기에서 내 눈을 옮겨간다.

학나래교가
서울 88올림픽 대교 마냥
하늘로 그물망을 올린 듯
멋있는 모습을 자랑한다.

흐르는 강물이 세종을
벗어나 공주 쪽에선 수량이
한강처럼 넉넉해 보인다.

세종보를 철거하던지
흙더미에 싸인 금강을 정비하던지….
시원한 물길이 보인다면….
걷는 내 마음도 시원하련만.

무궁화동산 장미 동산이
세종보 관리사무실 주변에
거창스럽게 준비했던 듯하여 열심히 찾아갔으나….
풀만 무성한 채 거의 방치되었다.

명맥을 유지하는 꽃송이가
잡초 속에서 버티는 모습….
찰칵 카메라에 담아본다.

시골에 사는 인척들도
반가워하기 힘든 세상이니,
아들과 조용히 추석 명절에
산소를 다녀올 수밖엔 없다.
사는 곳이 고향 쪽으로 한 시간 남짓 짧아지니
3시간 만에 고향 땅을 밟았고
우거진 풀더미를 헤치고
겨우 산소에 도착 성묘를 드린다.

상사화꽃 피는 곳
아름다운 고향길에
나를 마중하는 듯싶다.
운전대 옆에서 편하게
다녀오는 행복한 오늘이었다.

바지락 짱뚱어 낙지
생선회를…. 상상만하며 다녀왔다.

은여울산 푸른 숲속을 이사하고
다른 일보고 뭔지 모르게 움직이다 보니,
제법 오랜만에 산속을 걷는다.

걷는 길목에 상수리 도토리가
열매를 떨어뜨려 눈에 띈다.
작년엔 일삼아 줍던 기억이 떠오르는데….
올해엔 자연 속에 그냥 놓아두기로 마음먹는다.

중추절 추석이 임박하니
벌초하는 모습이 많이 보이고,
얼마 전에 심어둔 무 배추가
상상을 초월하며 씩씩하게 자라 오른다.

가을꽃 여기저기엔 호랑나비 고추잠자리가
수없이 뭔가를 묻혀내느라
가까이 다가서는 인간들을 겁내지도 않는다.

매미 울음소리가 완전히 끊겼는지…….
숲속이 너무 조용하여
고요하기까지 하다.

이름 모를 버섯이 즐비하지만
문외한인 나에겐
먹거리로 와 닿지 않는다.
버섯을 책으로라도 익혀야 할성싶다.

병원에 들러 안대를 풀고는
집에 가는 길에 곧바로 농다리를 아우른다.

농다리 위 징검다리를 넘어
인공폭포 쏟아지는
농암정을 쳐다보며
맑은 하늘 고운 구름을 바라보며
자연의 아름다움에 넋을 놓는다.

울긋불긋 감도 익어가고
단풍 우거진 아름다운 숲길도 보이고,
가을 코스모스 백일홍이 계절을 읽게 하더니
어느샌가 누런 벼 이삭이 고개를 숙인다.

알밤 쏟아지는 산모퉁이에서 밤송이를 짓이겨
입안에 가득 차는 알밤을
씹어보며 가을을 먹어본다.

연휴가 시작되니
사람들이 농다리로 몰려온다.
고향 찾은 이곳 사람들인지
낚싯대를 준비하여 고기 잡는 모습도 보인다.

마스크 둘러쓰고
온 가족이 농다리 데크길을 걷는다.
노부모 찾아서 외지에서 방문한 가족들인 듯싶다.

금강변에 보름달이
유달리 크고 맑다.
'한가위만 같아'라는 멋진
용어가 나를 행복하게 한다.

세상 사는 멋
가족과 함께하는 즐거움이
꼭 필요한 듯싶다.

저녁 먹고 학나래교 밑으로
공주 쪽 고속도로 주변까지
3대가 얘기하며 걸었다.

쑥쑥 자란 손자는 가장 무게가 나가는 거인으로
몸가짐이 달라졌고
제법 성인처럼 보이더니
고집스럽다는 얘기가 나온다.

금강이 흐르는 곳
자전거도로에 산보길까지
단정하게 준비되었으니
평지를 걷는 맛은 너무 좋다.

새벽부터 시작된 아침 운동
수없이 많은 사람이
걷고 뛰고 자전거 타고 바삐 돌아간다.

코스모스가 여기저기에
야관문과 갈대가 숲이 보인 곳에
제멋대로 자라고 있다.

푸른 하늘 맑은 공기
여유 있게 흐르는 금강 줄기를
따라서며
실개천 대교천까지 다녀온다.

행복 도시 세종시에서
아파트 생활을 겸하면서
율무가 기다리는 산속으로
부지런히 가야겠다.
바쁘다 바뻐….
선글라스에 시력을 씌웠더니
개운한 맛이 그만이다.
고맙구나….

한가한 시간 가족과의
만남도 잠시 지나갔고
꽃피고 곡식 익는 시골 농가에서
쏟아지는 소나기로 정신을 놓기도 했다.

비가 걷히더니 어느새 가을 햇빛이,
고추잠자리 떠다니는 곳만
정성스레 쏘아주는 듯싶다.

마당 여기저기에 눈길 끄는 가을꽃,
붉은색의 코스모스와
하얀색의 구절초다.

백일홍이 여러 달 동안 꽃 모습을 보여주니
밭 자락엔 무 배추가 싱싱하게 커 나오고
열매 맺을 들깨들이 초록빛 잎사귀로
배꼽까지 올라섰다.

맑고 고운 가을 하늘
떠다니는 흰 구름이 정겨움을 더하는구나.
알밤 줍고 도토리 주우며
한나절을 보내고 온 엽지기
양고기와 삼겹살로
점심 먹거리를 채웠더니
준비해준 이웃 형님
감사하고 또 감사합니다.

추석 연휴에
은여울산도 푹 쉬었는지….
오르막길 참나무 낙엽이
발바닥을 폭신하게 한다.

주섬주섬 엎드려 줍는
도토리 상수리가
여기저기 눈에 띈다.

가을이 깊어가는 선선한 바람결에
흔들리는 가을꽃 코스모스가
나비를 유인하고….

밤송이 떨어지는 곳
밤나무 밑에는
왕밤이 뒹굴며 엷지기
눈길을 매일 끌어내린다.

좌측으로는 세종보가 보이고
눈 밑으로는 모래 자갈이 쌓인 체 금강이 흐른다.

하천 보수를 해놓으면
한강처럼 아름다울 텐데….
세월이 지나다 보면
잔잔한 금강이 공주 부여로
물줄기를 전할 듯도 하다.

금강을 넘어 대평동 쪽에 이르니,
넓고 넓은 금강변 하천부지에
코스모스가 만발하고,
세종과 대전을 아우르는 코스트코 매장이
웅장한 모습으로 소비자를 기다린듯싶다.
한솔 동쪽엔 이마트가, 강 건너엔 코스트코가
대규모 상거래를 훑어내니
골목상권은 아예 맥을 못 쓰는 모습이다.

금강변에 세종보 곁에
한솔정 정자가 아름답게 서 있는 곳,
운동 시작지점이 정자 곁이고
계속 걷다 보면 산으로 산으로
오르고 내리고
계단을 밟고 흙을 밟고
콘크리트 포장길도 나타나고
멍석을 깔아둔 이쁜 길도 나타난다.

쉬는 의자 둥그런 정자가
적당한 간격으로
설치되어 쉬게 하고 있고
각종 운동시설이 설치되어
세종시가 살기 좋은 도시임엔 틀림이 없다.
가파른 산길이 평지 운동보단
많은 힘이 있어야 하는지
땀 흘리며, 많이 허덕댄다.

공터에서 먼지 내며 신축하던 건설현장은
외곽으로 떠나선지
조용하고 맑은 공기가 숲속에서 느껴진다.

새롬동을 지나 다정동에서
장군산 가파른 산행을 시작한다.
예전에 즐겨 타던 장군산
많은 산행객이 오르내린다.

금강변에 해 뜨는 모습
구름과 어울려 너무 아름답다.
뭉게구름 속에 햇빛이 스며들고
파란 하늘에 깃털처럼
새벽 모습을 알려준다.
힘들게 움직인 뒷날이라서
콧속에서 흐르는 붉은 액체가
아침 운동코스를 바꾸고 만다.

중부발전소를 바라보며
이마트 세종점 앞으로
코스모스 만발한 곳에
혼자서 걷는다.

한적하고 인적이 뜸해서
마스크를 호주머니로 옮겨서
두 바퀴째 돌고 있다.

파란 하늘은
아예 구름 속으로 사라지고
아침 공기가 잔뜩 웅크린 날씨다.

어제 확보해둔 코스모스
둘레길을 돌고 돌아 2바퀴째 정성껏 걷는다.
아침 공기가 시원하고
몸에 얇은 땀이 잡힌듯하다.

Part 10

자연과 어울리며

세종에서의 시작

세종에서의 시작이 우연히 금요일이다.
안개 잔뜩 낀 자동찻길을 달려서
금강 주변에 도착 바쁘게 움직인다.
국회 세종의사당이 들어선다니
많은 변화가 있을 듯도 싶다.
호수공원 중앙공원 수목원 그 곁에 세종의사당까지
모인다니...
중부권의 살기 좋은 거대 신도시로…. 자리매김한다.

금강을
유유히 흐르는 한강처럼….
깨끗이 관리하면,
아름다운 모습으로 변할듯한데,
흐르는 땀을 멈추느라
그늘진 곳 보이면,
그곳이 풀밭이건 벤치건
가리지 않고 주저앉는다.

한솔정에서 시작된 오늘 운동길이
새롬정까지 왕복하는
오르락내리락 산길이다.
햇빛이 가려지는 산속 길
벤치가 많고 운동기구도 많이 준비되어
가면서 오면서 쉬어가며 걷는다.
산책하는 시민들이 제법 많은 도심의 산보길이
마음에 드는 곳이다.

구름이 하늘을 모두 가렸다.
걷고 있는 코스모스 둘레길
그늘진 숲속처럼 아늑한 오늘이다.

살살 부는 가을바람에
코스모스 넘실대고,
빗줄기라도 쏟아질 듯한
잿빛 평원을 여유 있게 걷는다.

계단을 오르내리니
발목과 아래쪽 다리목에
힘이 많이 받히는 느낌이다.
가능하면 계단을 오르내릴 작정이다.

도심 속 산길이다 보니
많은 사람이 이용하는 듯
운동하는 사람이 많다.

멋진 구름이 푸른 하늘을
돋보이게 하는 오늘이다.
걷고 또 걸어서 나를 지켜야 한다.
등 쪽에서 흐르는 땀방울이
나를 증명한다.
금강변을 계속 걷고 강변을 멀리 훑어보며
한숨 한번 몰아쉬니
개운하다.

금강을 향해 내리쬐는 아침 햇살
계룡산 쪽으로 끼어있는
물안개를 벗겨낸다.
자욱한 안개를 헤치고
아침 일찍 걷는다.
마스크를 반쯤 걷어내고
사람이 눈에 띄지 않는 곳
빙빙 돌며 즐긴다.

짝짓기에 분주한 백로가
산자락을 나르며
흐르는 물줄기가 강촌처럼
아름답게 보이는 멋진 곳,
장군면 산학리로 주소가 보인다.
물놀이하면 좋을듯싶다.
3시간쯤 새로운 곳 찾아서 걸어왔더니
다소 거리가 멀긴 하나, 너무 조용한 좋은 코스다.

비가 온 뒷날
촉촉한 바람결에 오전 일찍
금강변을 타고 가다
실개천이 흐르는 쪽
장군산을 바라보고 걷는다.
농로를 따르며 주변을 살피다 보니,
비 온 뒷날 촉촉이 젖은 들깨
수확하는 노인들이 보인다.

대전에 살면서 즐겨 찾던
대청호 수변도로를 걷는다.

맑게 고인 상수원을 따라
수변도로 데크길로
걷고 또 걷는다.
역시 좋은 곳이다.

맑은 물 출렁이는 물결 위엔
백로와 오리가 여유 있게 움직이고,
이따금 물속을 훔치며
먹거리를 가져간다.

인간 세상에 퍼져있는
코로나는 딴 세상일 듯
물 위에 새들은 너무나도 여유롭다.

조용히 흐르는 물
늘어진 나뭇가지와 어울리니
금강 상류 상수원이 위치한 곳,
명품 촬영지로 카메라 셔터가
여기저기서 터져 나온다.

코스모스 흔들리는 곳
예초기 돌려가며 고구마 순 걷는 농민이 보인다.

공원을 돌아보며 멋진 모습의 산책코스를
요리조리 살피다 보니
공원에서 이어진 길로 산등성이를 오른다.

백제 시대의 고분을 살펴보면서 역사 속에
빠져드는 내 모습을 살핀다.
묘역을 다듬어서 그 시대를
느낄 수 있다니…. 아주 새롭다.

낙엽이 우수수 쏟아지는
제법 쌀쌀한 가을바람이 불어온다.
영하의 기온으로
찬 기운이 올 거라는 기상예보가 와있다.
코스모스 꽃 모습이
사그라지는 마지막 순간인 듯
한들거리는 모습이 안쓰럽게 느껴진다.
계절은 서서히 겨울로 향한다.

새콤한 날씨다.
땀을 흘리고자 한솔정 세종보쪽
반짝이는 물결을 뒤로하고
계단을 오르며 온갖 힘을 쏟아낸다.
왕복 1200계단 회전지점
새뜸정 정자에 기댄 체 오늘을 감상한다.
가장 추운 날이 오늘이고
이젠 겨울 기분이 느껴진다.

걷는 나는 쉬엄쉬엄 주변을 살피며
마을이 있는 곳을 들어가 본다.
산을 쪼개서 택지를 조성하고
논밭을 메워서 집 짓는 모습이
몸살을 앓고 있는 세종 외곽의 현주소다.
맑게 갠 하늘을 쳐다보며
새로운 지역을 훑으며 걷다 보니
추운지 모르고 지냈다.

비가 쏟아질 듯하니
계속 걷기가 망설여진다.
정자에서 쉬면서
쏟아지는 비를 멈출 수는 없고
집으로 되돌아가다
학나래교 인도교를 생각하며 그쪽으로 걸어간다.
이층 다리의 1층이 인도교니,
비 오고 눈이 와도 최적의 장소다.

꽃게가 잡히는 바쁜 시기라서
바닷일이 온통 꽃게 잡느라 바쁘단다.
즐겨 찾는 놀래미는 횟감이 없다니….

광어 간자미 놀래미 조끔으로
회를 준비하고
꽃게와 라면으로 먹거리를
마감했다.

완주군 봉동읍 천호 성지를 다녀온다.
친구들과 어울리며 맑고 시원한 산길을 돌고 또 돌아
천주교 도보 순례길을
펄럭이는 순례길 이정표만 의지한 체
언덕을 오르고 비탈을 제치며 힘들게 걷는다.
첩첩산중 깊은 오지에 천주교 되재 성당지가
이정표로 표시되고 거천지라는 샘터까지 위치한
어름골이 눈에 띈다.

푸석거리는 낙엽 소리에
발걸음 맞추며
이따금 눈에 보이는

나무에서 벌겋게 물든
홍시를 따다 입맛 다시며….
나훈아의 홍시보다
그 달콤함이 너무도 달다.

가는 길에 좌측으로 길이 보여 산을 오른다.
밤송이 껍질이 발바닥에
쿠션을 줄 만큼 엄청난 밤산이다.
커다란 바위가 산의 분위기를 잡아준다.
산길을 조심스럽게 오른다.
신중턱을 지나 파란 하늘이
눈에 보이는 거의 정상쯤까지
오르다 보니 등 쪽에 땀이 섞여온다.

오르고 내리며 계단도 타고
멍석으로 깔아둔 쿠션 좋은
길목도 거닐다 보니
산정상에 도착한다.

새롬정이란 2층 정자가 잠시 쉬는 곳,
계단을 밟으며 정자에 오르니
내 몸이 그곳에서 쉬게 된다.

맑은 하늘 푸르른 가을
울긋불긋 단풍잎이 눈에 띄는 깊은 가을이나
산속 모습은 단풍들기엔
아직인듯싶다.
초록색 상록수가 그늘을 드리우니
오솔길이 너무나 좋다.
뙤약볕 피해 그늘진 숲길에서
땅 밟으며 걷는 내 모습이다

단지 내 풍경이 너무나 아름다워
주변을 빙빙 돌다 보니
주변의 학교 및 며칠 전에
다녀온 백제 고분을 오르게 되고

연결라인을 이어가며
단풍든 모습을 담다 보니
5.6.7단지의 주변을 모두 둘러본다.

금강변 수변도로엔 자전거길 뛰는 길 산보길등
온갖 도로가 멋스럽게 자리 잡았고
소나무 단풍나무 꽃밭을 아우르며
벤치가 곳곳에 준비되어있고
텐트를 칠 수 있는 시설물까지 모두 준비되어있다.
동산처럼 우뚝 솟은 곳엔
남해의 진주 쪽 바람의 언덕에서 바라본
풍차가 준비되어있다.

대평동에서 반곡동
수루베마을까지 걷고 나니
이미 8km가 넘어선다.
반곡동에 이르렀으니
신축한 대전교구청을
방문하고 싶어진다.
세종 성요한바오로 2세 성당이
교구청 단지 내 성당으로 자리한다.

단풍든 수변도로의 공원
새로 입주한 주변 아파트의
자체 조성한 아름다운 정원 모습이
역시 세종은 살기 좋은 아름다운 곳이구나 느껴진다.
맑고 깨끗한 하늘
울긋불긋한 단풍
커피잔을 들고서 산책하는
직장인들 모습이 많이 보인다.

맑고 고운 가을 하늘 익어가는 단풍
푸르름이 강변에 부딪히니
차갑게 다가서는 곳
빛에 번쩍이는 금강이다.
아름천을 따라서
걷다 지쳐 멈춰 서니
우람한 아파트가 한뜰마을로
세종을 알려온다.

가을이 깊어간다.
초록색이 노랗게 변색하며 단풍들어 가더니,
샛노란 황금색으로 앞마당을 장식한다.
은행나무의 아름다움이 절정을 이룬다.
잔바람만 불어도
땅 위로 뒹굴며 겨우살이를 준비하는 듯,
앙상한 가지에 매달리는 은행 알맹이,
수확할 때가 될 거 같다.

울긋불긋 단풍으로 내 눈을 어디에 둘지…?
단풍 구경에 정신을 못 차린다.
임도 따라 자갈길을 밟으면서
초평호 데크도로에 이르니
도로 위로 쏟아진 낙엽 완전히 낙엽길이다.
햇빛 받은 초평호엔 맑은 물이 출렁대며
주변 단풍과 어울리며
아름다운 그림을 그려낸다.

앞마당에 은행나무는 알맹이만 달고 있고
누런 은행잎은 땅바닥에 널려있다.
황금빛 마당이다.
세월은 쉬지 않고 내일을 향해 오늘을 가고 있다.
몇 잎 달고 있는 수목원 단풍잎이
햇빛 받아 맑아 보이나,
계절이 바뀌니
애처로워 보이기까지 한다.

메타세쿼이아 숲길이
얼마 있으면 앙상한 가지로 변해
새싹이 돋아날 시기를 기다리려나 보다.

사계절 푸른 소나무처럼
인식되었던 나무인데
단풍들기 시작하니
서운하기까지 하다.

추운 날씨는 아니어서 김장하기엔 최적이다.
어젯밤에 살짝 얼어서 조심스레 배추를 뽑는다.
100여 포기 자르고 절이고 다듬고 씻어주다 보면
함께해야만 수월하니,
사사건건 서비스가 필요하다.
세상살이 모든 것이 의견을 나누며 일구듯이
김장철에 김장 일도, 함께하며 즐겨보자.

미호천 강변에는 물이 빠져나가선지
얕은 곳 여기저기에
하얀 백로며 오리가 떼 지어 쉬고 있다.
낚시터 주변 물웅덩이에 움직이는 고기는
오리 백로의 먹이였으리라.
모심을 때 갔던 길 오랜만에 나섰더니
새삼스럽기까지 하다.

화요일부터 밭에 심어진 무 배추 뽑아다가,
여러 과정 거치면서 2집 김장 마무리했더니
토요일 오전에야 마무리된다.
꼭지 따는 일 여기저기 다니면서 비벼서 담은 김치,
김치통 뚜껑 닫고 옮기고 야단법석을 떨다 보니,
모든 게 끝장이다.
양념이 여유가 있으니
싱싱한 무로 깍두기까지 담아둔다.

김장 때에 모인 가족 손자 손녀 모두 모여
케이크에 불 켜놓고 생일축하 노래한다.
일 년에 한 번은 어김없이 찾아오고,
모여주니 가족사랑…….
엄마로서 행복한 거 같더구나.
손자 손녀 모두가 손에 손에 꽃을 들고
축하공연 하다 보니
당겨서 하는 축하도 느끼기는 똑같구나.

비 내린 뒤로 오솔길 낙엽은,
7석(石) 지점까지 누군가에 의해
깨끗하게 치워졌다.
산을 오르내리는 학생야영장 직원분들이
수고해준 거 같다.
봉사해준 그분들께 감사드리며 걷는다.
미호천 강변의 가로수길에 메타세쿼이아 낙엽,
도로에 흠뻑 쏟아져 길목이 온통 붉은색이다.

여기저기 집주변에 모과가 뒹굴더니
모으고 또 모아서 집안에 쌓아둔다.
모과 향이 진동한다.
가장 못생긴 과일, 주먹 크기로 자라나서
누런색으로 익어가면
모과에서 쏟아지는 향기는
꽃향기는 저리 가라다.

농작물이 모두 걷힌 들판 황량한 모습이고,
논배미 모서리 쪽 귀퉁이엔
소 사료가 하얗게 쌓여있다.
둥글게 감아둔 소사료가 쌀값에 거의 육박하니,
농민들이 너나없이 볏짚을 사료로 파는 모양이다.
수입하던 건초 사료가 거의 해결되는 듯
젖소목장에 볏짚 사료만 잔뜩 쌓인 것이 눈에 띈다.

맑은 날이다.
11월이 마지막 가느라 많이 추운가 보다.
옆구리 터진 김밥처럼 등산화가 볼품없었는데…….
과감히 버려버리고
멋진 운동화로 단장하고 가볍게 걷고 있다.
손자 덕을 톡톡히 본 셈이다.
과연 편하고 좋구나.

세종 충남대학교 병원
엄청난 현대식 병원이 준공되어
심장내과에 진료차 방문했다.
수없이 많은 환자가 병원에 가면 눈에 띈다.
건강이 얼마나 중요한지는 병원 가보면 알게 된다.
감사하는 맘으로 건강함에 고마워해야 하고,
주위 환경을 두루 살피며 살기 좋은 세상이
이어가기를 기원한다.

호수 중앙에 조약돌 공연장으로 차림하고
돌고 도는 산책로 주변, 단풍이 절정을 이룬다.
너무나 아름답다.
맑고 맑은 하늘 아래 짙푸른 호숫물
떠 있는 하얀 구름이
하늘에서 물 위로 내려앉은 형상이다.
바람결에 흔들리는 단풍 안간힘을 다해가며
가을을 버텨낸다.

서둘러서 주변을 돌며
절정에 이르는 단풍 모습에 두리번거린다.

가을은
역시 아름다운 계절이다.
단풍 속으로 해 넘어가는 모습이,
어둠을 받아들이지 않으려는
흰 구름 낀 하늘과 비교된다.

낙엽이 쏟아진다.
10월이 넘어간다.
가을과 함께 조용히
세월도 움직이는 듯싶다.
가을이 정점에 이른 듯
아름다운 모습의 단풍을
만끽하며
오후 시간을 보낸다.

축하의 글 I

생거진천에서 여생을 즐기는 친구

-謂譚 오석원선생의 자전적 생활시집에 붙여-

위인백 사)한국인권교육원장

먼저 위담(謂譚) 오석원선생의 자연을 벗 삼아 엮어낸 생활시집「은퇴한 시골노인 사진시집」출판을 축하합니다.

위담과 나는 공간적으로 세종과 광주에서 떨어져 살고 있지만 정서적으로 상통하고 심적으로 오가는 정이 있기에 위담의 자전적 생활시집 출판소식을 듣고 주마등처럼 스쳐가는 그의 생애를 떠올리며 기쁜 마음 숨길 수가 없었습니다.

우리가 고향에서 학창시절을 보내던 때가 바로 엊그제 같은데 벌써 은퇴를 한 시골노인으로 생거진천에서 자연과 더불어 여생을 즐기며 살아가는 위담으로부터 옥고(玉稿)「은퇴한 시골노인 사진 시집」축사의 글을 부탁받고 보니 세월의 무상함이 새삼 느껴집니다.

돌이켜보면 우리가 자랄 때는 너나없이 가난했지만, 유독 위담은 이를 극복하고 근면 성실했으며, 공부를 너무도 잘해서 한 군에서 1,2명이나 진학할 수 있는 명문교인 광주제일고등학교에 진학한 수재였기에 모두가 기대하며 부러움의 대상이었습니다.

지금도 자수성가해서 어느 누구 못지않게 여유로운 여생을 즐기고 있어서 부러움의 대상이지만, 그때 상급학교에 진학할 수 있는 여유가 조금이라도 있었으면 더욱 더 국가사회에 공헌할 수 있었을 터인데 하는 아쉬움을 가지는 것은 비단 나만의 생각이 아닐 것입니다.

위담과의 인연은 고등학교가 갈리고 서로의 직장과 사는 곳이 달라 만나지 못하다가 중년이 되어 서울동창들이 고향의 제암산 철쭉제에 왔을 때 내가 가져간 홍주로 피로를 풀고, 올라오는 차에서 땀이 흠뻑 젖도록 흥겹게 놀았던 추억이 새롭습니다.

그 후 위담이 서울에서 직장생활을 정리하고 진천으로 내려와 전원생활을 할 때 친구들과 방문했더니 부인께서 손수장만해준 정주로 회포를 풀면서 살아온 이야기를 나눴지만, 위담의 진면목은 동창들 카톡방을 통해서 알게 되었습니다.

하루도 거르지 않고 애견 율무를 데리고 만보이상 산책을 하면서 올린 사진과 생활일기의 글을 보면 날마다 같은 사물을 보면서도 어쩜 저렇게도 다른 느낌으로 아름답게 표현하는가 감탄했습니다. 글의 흐름이 너무도 자연스럽고 시적이어서 칭송해왔는데 주변의 권유로 사진시집을 출판한다니 기쁜 마음과 더불어 부럽기까지 합니다.

생거진천에서 자연을 벗 삼아 노래한 자연 그대로의 사진시집 한 구절을 소개하자면, '수목을 지나서 산 입구에 들어서니 주변이 온통 하얀색이다. 눈높이의 나뭇가지에

도 높이 솟은 소나무 잎에도 하얀 눈이 엉켜서 눈꽃 핀 아름다운 모습이 봄꽃을 대신한다.'
'갈매기 날아오르고 바닷물 출렁이는 서해바다 삼길포…'
'땅을 밟고 시골 사는 맛 집밖에서 불 피워 고기 굽는 맛 이래서 자연을 찾는 자연인이 되는가 보다…' 이처럼 위담은 가식 없이 자연을 즐기는 자연인의 한사람입니다.
부지런한 위담은 농사도 곁들이며 의사와 약사로 자식들 농사까지 잘 짓고, 낙천적인 성격에 만인의 애인으로 술 잘 마시지, 춤도 잘 추는 한량 끼 있는 멋쟁이고, 선영으로 가족묘원까지 잘 가꿔놓음으로써 할 일을 다 한 벗이기에 친구들의 부러움을 사고 있습니다.
 또한 날마다 동창들 카톡방에 올리는 친구들 카톡에 즉흥적으로 댓글을 달아주는 글 솜씨가 대단한데다 이제는 초로에 접어든 친구들 이름 부르기가 부자연스럽지 않느냐면서 품성에 따라 호를 지어주는 능력 또한 대단함을 모두가 느끼고 있으며, 범부인 나에게도 백호(白虎)라는 과분한 호를 지어준 친구입니다.
 졸필로 위담의 진면목을 다 기록해내지 못한 송구스런 마음과 함께 아쉬움이 있다면, 위담이 날마다 걸어온 산책길을 하루라도 같이 걸으면서 여생을 정리하는 가슴에 담은 이야기를 나눈 다음 축하의 글을 써야 되지 않았나 하는 미련을 뒤로한 채 마음을 모아 '당상학발 천년수 슬하자손 만세영(堂上鶴髮 千年壽 膝下子孫 萬世榮)'하시길 기원합니다.

축하의 글 II　　아름다운 삶의 편지

이 책은 코로나 19에도 변함없이 자신의 건강을 위해 하루 만 보 이상 걷기를 실천한 **은퇴한 시골노인 오석원 생활시인**의 2021년 사진과 시집입니다. 건강 때문에 공직생활을 끝까지 하지 못하고 명예퇴직한 뒤, 생거진천에서 시골노인으로 살면서 60까지만 살자던 인생이 건강하게 80을 바라보게 되었습니다. 그것은 매일 긍정적인 마음으로 자연과 함께 하고 걷기를 생활 속에서 실천한 결과입니다. 치매나 잊어버리는 것을 예방하고자 하루하루 카카오스토리에 글을 올린 것이 몇 년째 되다 보니 글 한마디 한마디가 그대로 시(詩)고 사진 하나하나가 작품(作品)입니다. 출판사를 시작하면서 처음으로 만든 책도 오석원 시인의 글이라 보람이 느껴지고 이렇게 새로이 사진 시집을 발간하여 2021년 성실하게 산 발자취를 사진과 함께 글로 남길 수 있어 감사한 마음뿐입니다. 늘 건강하게 행복하게 지금처럼 잘 사시기를 기원하며 이 책의 발간을 축하드립니다.

시인 오태영 (진달래 출판사 대표)